ANTONIO VIVALDI

MAGNIFICAT

RV 610a - 611

per soli, 2 cori a 4 voci miste   *for Solo Voices, 2 Mixed Choruses*
e 2 orchestre   *and 2 Orchestras*

a cura di   *edited by*
GIAN FRANCESCO MALIPIERO

Riduzione per canto e pianoforte di   *Piano reduction by*
Raffaele Cumar

RICORDI

131513 - LD 542
ISMN 979-0-041-31513-8

Durata. 14'

ANTONIO VIVALDI
(1678 - 1741)
MAGNIFICAT RV 610a

per soli, 2 cori a 4 voci miste   *for Solo Voices, 2 Mixed Choruses*
e 2 orchestre   *and 2 Orchestras*
a cura di   *edited by*
GIAN FRANCESCO MALIPERO
Riduzione per canto e pianoforte di   *Piano reduction by*
RAFFAELE CUMAR

Nelle pubbliche esecuzioni è obbligatorio inserire nei programmi il nome del revisore

1. MAGNIFICAT

131513-LD542

2

2. ET EXULTAVIT

Et e-xul - ta - vit__ spi - ri - tus
And_ my spi-rit hath re -joic'd,__ re-

me - us in De-o sa-lu - ta - - - ri,
-joic'd_ in God my_ sa - - - viour,

in De-o sa-lu - ta - ri, sa-lu-ta-ri me - o.
in God, in God my sa - viour, my sa - - viour.

no-men, et san - ctum no — — — — — — — — — men,
ho - ly, his name___ is ho — — — — — — — — — ly,

60

et san-ctum no — — — — — men, no-men e — jus, et san - ctum
his name is ho — — — — — ly, ho-ly is his name, his name, his

65

san - ctum no — men, san - ctum no - men e — jus.
name is ho - ly, his___ name___ is ho - ly.

I e II

70

3. ET MISERICORDIA

4. FECIT POTENTIAM

14

- ten - ti - am,   fe - cit po -
strength,   *He hath shew'd*

- ten - ti - am,   fe - cit po -
strength,   *He hath shew'd*

- ten - ti - am,   fe - cit po -
strength,   *He hath shew'd*

- ten - ti - am,   fe - cit po -
strength,   *He hath shew'd*

115

- ten - ti - am in bra - chi - o su - o: di -
strength   *with*   *his*   *arm:_____*   *he hath*

- ten - ti - am in bra - chi - o su - o: di - sper - sit su -
strength   *with*   *his*   *arm:_____*   *he hath scat - ter'd the*

- ten - ti - am in bra - chi - o su - o: di - sper - sit su -
strength   *with*   *his*   *arm:*   *he hath scat - ter'd the*

- ten - ti - am in bra - chi - o su - o: di - sper - sit su -
strength   *with*   *his*   *arm:_____*   *he hath scat - ter'd the*

5. DEPOSUIT POTENTES

155

ted the
ted the
ted the
ted the

160

- vit hu - mi - les,   et _ e - xal - ta - - - vit hu - mi - les.
hum - ble and meek,   and hath ex - al - ted the hum - ble and meek.

- vit hu - mi - les,   et _ e - xal - ta - - - vit hu - mi - les.
hum - ble and meek,   and hath ex - al - ted the hum - ble and meek.

- vit hu - mi - les,   et e - xal - ta - - - vit hu - mi - les.
hum - ble and meek,   and hath ex - al - ted the hum - ble and meek.

- vit hu - mi - les,   et e - xal - ta - - - vit hu - mi - les.
hum - ble and meek,   and hath ex - al - ted the hum - ble and meek.

165

6. ESURIENTES IMPLEVIT

20

131513 - LD 542

22

7. SUSCEPIT ISRAEL

8. SICUT LOCUTUS

Allegro ma poco

SOPRANI *(f)* 225

Si - cut lo - cu - tus est ad pa - tres no - stros, A - bra-ham, et
As — he pro - mis'd, pro-mis'd to our fore - fa - thers, A - bra-ham,

CONTRALTI

A - bra-ham, et se - mi-ni e - jus in
A - bra-ham, and his seed for —

BASSI

A - bra-ham, et
A - bra-ham,

9. GLORIA

Allegro

265

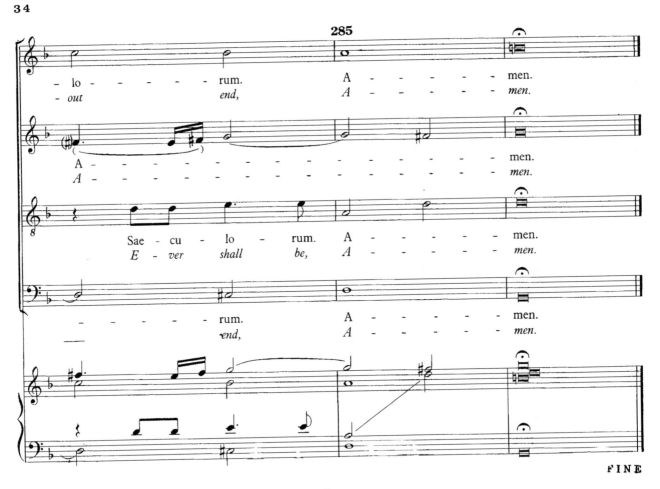

FINE

RV 611

Nel manoscritto del *Magnificat* di A. Vivaldi sono intercalati questi cinque brani col nome dell'esecutore, scelto - evidentemente - fra le allieve dell'Ospedale della Pietà di Venezia:

In the manuscript of Vivaldi's Magnificat *are included these five items with the name of the singer, chosen - evidently - among the pupils of the Ospedale della Pietà di Venezia:*

APOLLONIA (soprano) « Et exultavit » (p. 34)
la BOLOGNESA (soprano) « Quia respexit » (p. 38)
CHIARETTA (soprano) « Quia fecit » (p. 42) •
AMBROSINA (contralto) « Esurientes » (p. 44)
ALBETTA (contralto) « Sicut locutus » (p. 47)

in sostituzione dei brani della prima versione, che risultano rispettivamente a pag. 2, 3, 4, 19 e 24.

They substitute the items in the first version, which are respectively on pages 2, 3, 4, 19 and 24.

315

-ta - - - - - - - - - - - - - - - - -
sa

320

- - - - - - - - - - - - - - - ri me - o.
- - viour, my sa - viour.

325

330

Et e - xul - ta - vit spi - - - ri - tus
And my spi - rit_ hath re - joic'd_in God,_____ in_ God my_

335

me - us in De - o_ sa - lu - ta - - - - -
sa - viour, in God, in_ God_ my_ sa -

340

- ri ―
- viour, my ―

345

me - o et e - xul - ta - vit spi - ri - tus ― me - us in
sa - viour, And my spi - rit hath re - joic'd ― in God ― my ― sa - viour, my

350

De - o, in De - o, in De - o sa - lu - ta ― ― ―
sa - viour, my sa - viour, re - joic'd in God my sa ―

355

- ri me -
- viour, my sa -

Adagio (a tempo)

- o, sa-lu-ta — — — — — — — — — — ri_ me - o.
- viour, my sa — — — — — — — — — — viour, my sa - viour.

2b. QUIA RESPEXIT
FOR LA BOLOGNESA

Andante molto

SOPRANO SOLO

Qu - ia re - spe - xit   hu - mi - li - ta - tem an -
For he hath re - gard - ed,   for he_ hath re - gard - ed   the

40

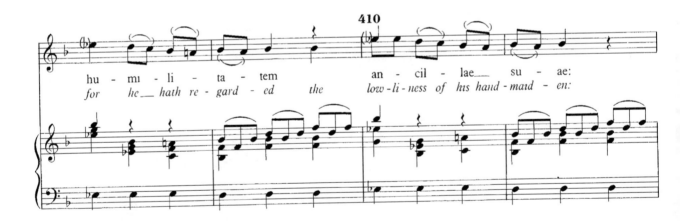

2c. QUIA FECIT
FOR CHIARETTA

e - jus, et san-ctum, san-ctum no
name,____ and ho - ly__ is his__ name,____

- men e -
- and ho -

- jus, et san-ctum no - men, no-men e - jus.
- ly, and ho - ly, ho - ly, ho - ly is his name.

(*f*)

6. ESURIENTES IMPLEVIT
FOR AMBROSINA

di - vi - tes di - mi - sit, di - mi - sit in - a - nes, in -
rich ___ he hath sent emp - ty, the rich ___ he hath sent emp - ty, sent

525

- a - - - nes, in - a - nes.
e - - - (e)mpty a - way, a - way.

8. SICUT LOCUTUS
FOR ALBETTA

Andante
sempre tutti piano

530

CONTRALTO SOLO 535

Si - cut lo - cu - tus
As he ___ pro -

48